武林理安寺志卷之六

規約

伏虎禪師剏寺距有明弘治中四百餘年規制已不可攷法雨師以一瓢一笠入山獨居晚得大弟子曰戒慧披榛薙草剏造維艱然徒衆未甚盛也七條之約立意較然非明眼尊宿不能作如是語矣箬菴問禪師少事法雨更受衣鉢於磬山歸而唱法大集學徒章明條教闡發宗風俾各司其職違則以律繩之規模於是乎大具嗣以天笠珍禪師鉗椎妙密戒律益精故海內緇流有生死理安之稱則惟立法之嚴

且善也迦陵音禪師奉

世宗憲皇帝命來主方丈懼其日久法弛復申箬祖之言以儆有衆由是午夜梵鐘三時讚唄威儀齊整器鉢無聲甲於武林諸梵剎將來祇守勿替以毋越前人之規繩於嗣法者有厚望焉志規約

法雨大師遺囑

大涅槃經遺敎經佛之遺囑也百丈清規禪林寶訓祖之遺囑也又復何言但老朽一傘一鉢入澗中嗣以傘易蓬以蓬易菴又縛厂閣方圓丈許意將終身焉蒙諸檀越建禪堂安僧禮誦搆一閣供佛藏經廊

廡三門廚竈廁溷叢林不足靜室有餘儘可棲身學道念我年將古稀飲食漸減形神日衰以吾世期將近恐致身後事事無憑不得不作一語付諸守成者建寺始末悉載碑記出家叅訪緣起在行實中不必復言屋宇靜室前後門牆石磯壞宜修理不必營添四圍石山若干畝護培茶竹界址須明秀水齋田深想置時煩苦用心管業且山屋田地之貲一瓦一椽一磚一石雖賴十方善信皆我同戒慧省口剝膚辛力共成我室內經書袈裟鉢盂等物亦是知己相贈俱付戒慧收管托眞實道心不欺不敗者堅守不損

壞不借出代代相傳如中峰楚石之衣鉢蘇東坡陸五臺之玉帶至今尚存古老遺蹟爲山門增勝倘戒慧老倦代管常住必得行解兼全者如無其人推眞實老誠厚德者收人宜少貴選精修此山非納海衆之所不必廣容雜穢度庸人百不如度慧心人一也老朽披緇五十餘年住山將四十載一味條直平常秖好安分守拙亦不裝魔揑怪誑惑世人惟愛松筠爲居泉石爲侶客至煮茗清談客去焚香默坐汝等遞相勸化努力勤修弗空過日又山中住過不守清規久行擯出者我在生不許見面身後豈容入門吾

十三歲父喪母寡發心出家十四祝髮披緇並不攜俗家寸草出門親族亦毫無半錢資助彼此心跡明白衆所共知料無他說我乃懶於攀緣從不募化所來者微所費者廣裝佛請經買山造屋砌路佈橋壘牆塡地築磯開溝連年賦稅加嚮日用猶自不足豈有餘蓄我平日並不欠人一文人或欠我者不負前約償還常住招提之物一鍼一草斷不可取生滅禍壽死墮阿鼻財物受用有盡地獄苦報無窮因果歷然貪心永絕倘有人曾經到寺者或面目不認得者來此生端假揑誆騙異言詭詐者決不可聽信以理

遣之以上實言付囑若不遵依是名不孝非吾徒也老朽入山初志只要了已躬下事茅屋數椽道人兩箇松雲泉石以樂天眞隨緣度人用報佛祖自揣無神通三昧大福大緣大才大辯不敢自瞞毎思隱山不肯見人趙州不肯告人道林鳥窠懶殘土穴往古先德尚且如此我乃何人敢於出世耶昔紫柏先師云良賈深藏槩得一日有一日受用以是終年不甚輕出亦不欲多造殿宇廣容徒衆護法議古剎當興不得已而搆禪室有屋必有僧又不得已而留人古人云三人便是叢林宜遵清規務守戒律叅禪念佛

淡泊精修予年十四歲萬曆十年十月初十日求靜明老師爲我祝髮至今五十餘年請雲棲大師授沙彌戒菩薩戒甲午叅學金陵禮紫柏大師印我禪宗向上一事即擕鉢入十八澗精心苦志惟期開悟完我平生衆議古刹復興四十餘年不停土木之工不敢妄行一步不敢妄費一錢錯昧因果獨我戒慧實心苦助毫無私念其餘衆徒亦皆苦心爲理安常住我並無珍玩畱下只有經書之類存於常住後人讀誦不可與人取去想我辦時艱難我去世後不可四處報訃不許戴孝行世俗之事乞衆檀越念我平日相與苦心修造更加護惜理安常住也老朽在寂光中合掌稱謝不盡

崇禎九年五月　日

法雨大師出家七種不畱

不爲生死眞實修行出家者不畱

父母不許者不畱

强棄妻子者不畱

偶有事故一時激發者不畱

貪眠懶惰苟圖衣食者不畱

遊蕩人間結交壞法邪見曾經擯逐者不畱

身有惡疾坡課不隨衆者不留

箬菴禪師同住規約

夫叢林之設本爲辦道修行每見淪落不堪積成流弊皆緣主者偏徇己私愛護眷屬遂至法門頹敗靡靡下衰通問向來行腳諸方歷覽弊端痛心徹骨本寺開山受業先大師一生苦節垂四十年方成叢席圓寂以來鹿崖大師力能遵守遺規猶恐法久弊生邀同檀護招通問歸院提持此道與十方衲子粒米共飡則眷屬卽十方十方卽眷屬同爲佛祖兒孫有何内外界限然人情好縱不得不建立規條爲衆作則凡我同住須各各以自己本分大事爲急務朝參暮究斷絕攀緣卽或飽歷叢林宿參耆德猶宜謹確爲末法津梁後生標榜本寺山深路僻凡百艱辛雖未能廣納衆賢實願利養同均甘苦共受幸相體悉延接古風佛祖慧命端有賴矣規條開列於左

一不許破犯根本大戒犯者責擯出院

一不許私立徒衆收畜年少沙彌違者出院

一不許鬬搆是非破口駡詈互相行拳犯者不論曲直俱出院

一不許不赴齋堂私相授受背衆飲食輕則議罰故

違出院

一不許私據閑房自取安便長養惰習除老病違者出院

一不許將山地與人安葬違者出院

一不許斫伐前後山塲竹木永遵開山遺命違者重罰出院

一不許私向施主募化違者出院

一不許遊玩山水無故往來城市頻到鄰菴攪擾違者重罰不聽出院

一不許私竄寮房嬉笑雜語悞己妨人違者重罰不聽出院

一不許不隨二時功課除老病及公務違者罰

一不許假託疾病攜酒入山如病非酒莫療者白衆方許違者出院

一不許侵損常住物件及尋覓樹根花草等物違者重罰

一不爲生死眞實參究者不留

一恃狂妄知見破蕩威儀者不留

一涉獵詩文沉酣翰墨習學應赴經懺及效俗人喫烟者不留

一恃已有功不受職事人規諫者不留

一祇見人短不揣己過者不留

一身在局外好議局内事者不留

以上規條各宜恪守若不遵依毋勞共住

崇禎歲次丁丑春王朔日

箬菴禪師禪堂規約

古規失檢怠惰成風時弊多端提持貴密雖則現成公案要須一衆共知行解相應則無愧於先宗道德兼資乃有利於末學是在同心共相遵守巡照四板監值揭帳淨面五板值日鳴報鐘接板定香大鐘完

鳴三板止靜香一寸開靜早課誦畢候梆鳴過堂粥罷値日接板定香鳴魚二下經行香半枝鳴二板候香完鳴魚一下抽解三板止靜香完開小靜監値打茶巡香散鐘子茶畢鳴魚二下經行香半枝鳴站板一下坐少刻鳴板二下行香完鳴魚一下抽解鳴魚三下止靜候午梆開大靜過堂齋畢復如上行夜粥罷鳴報鐘晚課畢接板日暮定香經行止靜亦如前四枝香完開大靜六枝香完展單所有條款計開於

左

一妄作拈頌評論公案者出堂

一爭香板者出堂

一亂統機鋒者出堂

一不滿期告假者罰

一過堂不隨衆者罰

一有病三日不食者方許出堂調養違者罰

一偷看文書者罰

一課誦不隨衆者罰

一交頭接耳及靜中破笑者罰

一經行笑談者罰

一行香坐香不到者罰

一出入職事在前違者罰

一私造飲食者罰

一開靜後語笑及出外者罰

一惡人警策昏散者罰

一三香板不下單者罰

一行坐不隨衆者罰

一無病躲坡者罰

一鐘板參差者罰

一報魚不淸者罰

一出入不白職事者罰

一值日交代不淸者罰

一破壞什物者罰

一堂內前後縫補者罰

一私借堂內什物出外者罰

一不受人約束者罰

崇禎歲次丁丑春王朔日

箬菴禪師禪堂結制規約

十四日貼單維那令當值監值於佛座左右鋪席大衆俱將行李安席上佛前設公位悅衆領二淸衆鳴引磬上方丈請和尚進堂三拜畢齊立板首和尚貼

以下維那貼貼畢送方丈歸堂各照單安行李晚課畢拜方丈巡寮維那作白禪堂結冬巡寮次早舉寶鼎爇名香讚念無量壽咒祈禱悅衆領監院祈禱四聖課誦畢維那云向上展具頂禮西天東土歷代祖師三拜天下弘宗演敎諸大善知識三拜各人得戒和尚三拜剃度師三拜前後開山老和尚三拜起具問訊對面展具

皇淸某年某月某日結冬之辰大衆師雲集普禮三拜匆勞起具再白云某職事師三拜內外職事拜畢六再禮方丈和尚三拜起具問訊雲集祖堂禮祖禮畢上

方丈項禮畢歸堂兩單對拜惟元旦解冬二次如結冬式其餘朔望惟舉爐香乍爇讚每月十四三十小叅凡遇結冬元旦解冬成道佛誕自恣

聖壽不論有齋無齋俱上堂餘大節早叅除夕不放假禪堂不請茶除夕禮祖畢上方丈即到大殿一切兩班立侯方丈到齊展具三拜辭年各歸堂寮元旦亦然拜私年者罰禮年懺三日至初四起七若有不解冬出外隨喜者重罰

凡進堂者先行行一月方許引進方丈於早粥開小靜後知客鳴小板三下監值捲簾兩序自下往上立知客行禮畢堂師行禮維那問號登牌一東一西送單晚課畢大殿行禮止靜前禪堂行禮

箬菴禪師客堂規約

一客至茶湯點心單次一一調停不得疎慢如疎慢失事者罰

一禪客遠至須看上中下座不得一例如明眼耆德安上客房五日作客請入賢者寮安置遠來禪衲三日作客初機晚學一日作客即隨衆一一請問名號住處登記簿上至於江湖混雜之輩早到一食晚到一宿即請別行不得安進客房失事賠罰

一信施辦齋散䞋等事副寺協同知事公議如式

一齋供小食除待賓客內外一例散䞋亦然

一客衆及外住法眷道友到者預先打疊外單安置如混送入堂私自攙擾倍罰本職知而不舉同罰

一凡求住者須令先看規約果能一一依行否次會衆職事察其立志的係叅學好人可許安單入衆務寮驗其道心恒遠方許進堂及當職事若全不識做工夫及已中邪毒等皆不許入堂粗野無教訓輩亦不許入堂妨衆混送者罰

一求戒者必須審問來歷引見書記登簿如求戒中例草率者罰

一客房牀帳枕蓆桌椅面盆手巾燈臺茶壺等物俱宜檢點如法失悞者賠罰

一常住錢糧齋供䞋儀禮節等俱副寺同知事典座議處喫齋時掛水牌上書今辰某居士為某事設齋齋罷即書黏齋單失悞者罰

一士大夫及諸方書至收好送上方丈將回書交付來人明白失悞者罰

一客堂僧衆不睦犯諍喧嚷者即時抽單逐出勿論是非

一知客副寺值歲典座凡事皆同商議如不相照應各執己見者罰失悞加罰

清規云知客職典賓客凡官員檀越尊宿諸方名德相過者以茶迎待隨令行者通報方丈然後引進相見仍照管安下去處如以次賓客只就客堂相款或欲詣諸寮相訪令行者引往其旦過寮牀帳什物燈油柴炭常令齊整新到須加溫存維那在假則攝其事僧堂前檢點行儀客僧粥飯若遇亡僧同侍者把賬暫到死主其喪雪竇在太陽禪月在石霜皆典此職毋忽

箬菴祖師浴規

蕩滌盡也未是本來面目灌沐潔矣終非無位真人者箇那箇齊該色身法身俱露須知未達色空祇道塵居身外忽悟水因方知瓦在心中果有一絲不掛底禪客便好向者裏納場敗闕凡水熱焚香默禱聖僧次方丈及尊客浴梆擊三下兩序浴一通禪堂二通列職三通普浴知隨行者人力後浴若有瘡疥者更宜在後抗拒不遵出院今將條約開列於左

一抵換衣服者出院

一高聲語笑者罰

一遲延時候者罰

一不候籤强入者罰

一壁上貼膏藥者罰

一用皂角者罰

箬菴禪師廚房規約

三世諸佛皆從行門而出況廚下易於求福易於造業清淨柔和求福之本偏衆懈怠造業之基一切共住者須遵開山大師規矩喫小食俱在廚下一槪不許打去早課必須齊到若有不遵者香燈通知典座會同知客白方丈若有姑恕不舉者重罰不能遵守者毋勞同住愼之莫忽規矩七條開列於左

一凡一切大衆菜典座調理一切齊相幫不到者罰

一飯頭煮大衆三飡粥飯鍋鍋頭洗凡擡區兩箇飯頭相幫區亦飯頭洗

一雜務庫房討客菜撿擇收留者重罰

一客飯頭煮客飯鍋焦輪日私留者罰

一磨頭私喫腐漿者重罰

一香燈照看大衆行李凡偷走者倍罰

箬菴禪師兩序規約

西則座元西堂後堂堂主書記藏主知藏知客寮頭

祖侍燒香記錄衣鉢請客湯藥聖僧十六位東則都監監院維那副寺監收典座値歲知事知浴知山監修悅衆寮元十三位走則座元列堂後堂堂主都監監院惟繞佛都監監院在後維那書記副寺藏主知藏知客叅頭監收典座値歲知事知浴知山監修祖侍燒香記錄衣鉢請客湯藥聖僧悅衆寮元西職殿主開住庫頭飯頭貼案茶頭園頭行堂接供收供柴頭知器菜頭火頭磨頭鍋頭巡山米頭碗頭圊頭巡照雜務擔運灑掃香燈司水行者照客

座元寮在法堂右與西堂共單傳戒一爲羯磨一爲教授分座秉拂凡開示垂問考工等類俱方丈命方行不同諸方草率俱無行者

後堂堂主共寮在梅萼樓左此四板首分座說法必須識見超卓名望素著方授此職切不可因住久或有功行眼目不清妄授此職獲罪龍天課誦出坡皆爲率領

都監寮在庫房左一間上殿站在東班末跪在維那肩左行在監院後坐在監院上凡完錢糧收租庫房大事皆商酌而行

監院與都監同寮監院站在西班末跪居中在方丈

後凡檀越走動應酬必須赤心爲常住出入銀錢交與副寺買賣貨物付之監收維總大綱心對龍天無愧不損常住不侵大衆一切毀譽不必計較

維那寮在桂花樓右一間凡祈禱白椎舉唱領班白事內外及方丈有不齊者皆可舉罰當人天之綱維作大衆之首領生一事不如省一事安一人不如安衆人莫避嫌疑務要放出鐵面莫憚辛勤披露赤心則無愧斯職矣

書記寮在法堂外西首第一間凡往來辭謝書啟皆代方丈爲之榜文疏儀執掌惟勤寫送法語刻印語

錄刷訂書文可與記錄同商共酌

副寺寮在庫房右一間與監收共凡買辦物件須通知監院開單小則庫房商議大則客堂共酌然後與監收同辦監院副寺監收三人同到方可登賬半月到客堂兩序同結算明寫呈方丈

藏主知藏寮在書記寮下一間二人共執藏鑰每年夏季六月鋪齋棹二十張先曬東櫥後曬西櫥候冷收櫃此係前人一片心血斷不可將就或一二年不曬即黴爛矣曬經之日大衆煮豆米粥一湌喫小食

凡有請看者須登牌某日某人請某經還則消賬解

單日先去查取遺失者賠其餘知藏俱在藏樓東單

知客第一見人須要有禮上等送符夢樓中等送祖師堂餘則送旦過若有舊職事歸來安賢者寮如齋主到飯則四菜茶則四果往來上客攢菜斟酌可也職事起單細查用物客被客枕不時檢閱每年八月浣滌一次留人須要客先討單三次然後細問以同住規矩示之方登名簿一切外單甯缺毋易如客方丈至先請淨面更衣喫茶預報方丈然後領見候齋畢送單客方丈後安侍者一位餘安符夢樓叅堂巡寮大衆齊禮法堂右設一座若看兩序另外看單若

不叅堂巡寮大衆不禮單看兩序兩序回看

叅頭凡上堂小叅須要應時問話單在藏樓西

監收與副寺同寮出入銀錢什物詳細交納

典座首座調性典座調命凡大衆菜蔬不得委之於貼案厨下一切職事善為調馭園中菜蔬不時檢察一生來不遺粒米三十里不捨菜葉此是古人之風衆務勤勞福歸倡者諸行放逸罪在首領毋得視為等閒現有規約切須遵守

值歳叢林以樹彰名大小樹木皆叢林羽翼或修房屋必須用者俱先商之兩序上白方丈然後斫伐私

伐一株罰銀十兩不許其住春備梅雨一月之柴秋備陰雪數旬之薪最爲要緊逐日柴薪大衆扒收敗葉斫伐新柴須要擇地毋得亂堆上堂搭座齋堂估唱亡僧茶毘靈骨入塔皆商之客堂凡柴頭上山作務大衆擔肥出坡皆要親到不得偷安本寮刀斧繩索匾擔竹扛不時檢閱亡僧靈龕後架肥桶旣防日曬亦護風吹自生無量之福出坡寫牌與客堂計議可也

知事寮在庫房外樓凡住久職事有益常住者皆入焉常住有大事請發心小事隨意可也

知浴寮在知事左一間凡爲化主不錯昧因果者少故開山以來不安斯職擇本處老誠修行者安一二備禪堂油燭浴堂手巾但一切隨緣不許打餓七站釘關違背佛制退息檀信

知山常住山界一一淸楚如新受斯職須邀同客堂看山界一回牽領巡山時刻檢閱喫二堂飯以防偷盜寮在賢者樓第二間若挐住偷柴者送至客堂議罰以戒下次

監修凡房屋破壞塔上傾圯道路冲蹋用物毀壞商之監院客堂修理

祖侍開山大師塔上上供時跪獻一茶果二箸三菜四點心五湯六飯七清茶凡遇祖忌辰須白方丈上供誤者罰其餘諸塔亦須不時灑掃上供儀式隨時斟酌埨上擔供客堂請灑掃發心燒香捧爐祖侍提

茶

燒香外則板首內則燒香實心操履究竟本分事者充之切勿亂安朔望上堂捧爐寮在松嶺閣上

記錄外則書記內則記錄朔望小叅上堂傳牌出門執杖請拂凡方丈語錄文書等類細心料理方丈說法寫牌掛大王殿三日收牌語錄兩本仔細寫明一存方丈一存本寮庶免遺失來往書禮登簿某月某人書一一寫明來書不可錯悞回書交明凡刻書印書裝釘須要細心料理不得草率寮在法堂外左一

間

衣鉢外則監院內則衣鉢出一物即登某日某人取傳一事即登某日某人報有齋儀分付行者請副寺知客交明如茶點果品即交湯藥如有香儀同當值登簿拆封出入銀錢逐月算清凡方丈內前人所遺之物皆須護惜少有遺失過歸方丈慎之慎之

請客每日一人監值不離方丈一切客來兩序白事

宜先通知報齋報茶白方丈分付行者如方丈在寺則白他出則登名諸方來使登名傳書通衣鉢收貯封贐儀喫二堂如有失物悞事賠罰　一人當值者出入禮佛早晚法座燒香不離左右方丈出門常隨侍從衣物等事去則領淸回則交明衣鉢湯藥外則典座內則湯藥一切茶果須得善為收拾如方丈有客待齋先安小菜四碟客茶果子六盤不可過豐豐則不繼不可過嗇嗇則取怨夏天梅雨更要慇懃若逢常住有病人討小菜果品之類切須一一應酬寮在法堂外左第二間

聖僧堂內安單和尙落堂拂座獻茶揩摩竹篦香板打七照應和尙面前香爐

悅衆維那總持大綱悅衆調理細務凡寫牌收拾雜務俱要淸楚如維那不在堂一切事務皆帶管囑二三悅衆打七輪流看香應酬課誦

寮元凡客師到以禮相接一東一西送單早午二時板香晚間四枝香俱要坐完早晚課誦必須齊到不許在外閒遊如果眞為生死安心向道者領至客堂討單第一不可開口留單查出立擯常住道風安人藏否皆在寮元須擇老誠修行者為之

僧値僧値者原無實位僧中之直不阿諛故不委曲故不回互故原是代方丈監察其所不及五日一換在大殿行禮交職自班首起至參頭止每早巡照三板催點路燈從方丈以及客寮催衆上殿各處嚴查早梆看開山門大衆過堂照看門戶不離山門防偷走者隨喫二堂禁止放逸大衆出坡回安置柴薪如法午梆亦然晩梆亦如早課催促日落看山門上鎖俟堂內定香催上路燈及各處琉璃二板客堂議事止靜後各處巡寮及旦過堂四枝香開大靜後禁止點燈六枝香完看息路燈細看廚茶二房火燭凡打

七堂內事事料理五日之內不拘方丈職事有過則舉有失即罰若順私情伽藍不宥此乃從上遺規互相警策方丈不遵祖堂跪香大衆不遵上白方丈

殿主單在天王殿前右一間與巡照門頭共寮每朝四板息琉璃供淨水燒香接大鐘完點燭大衆繞佛捲幢旛繞單鋪開課誦下殿收幢旛上架開梆供粥鳴磬三下粥罷灑掃佛殿及天王殿如有香客來燒香有餘香燭留備早晩課誦應用不得私作人情午梆供飯晩課後定香時點琉璃開大靜接大鼓凡朔望早課須送鐺鉻小鼓上殿凡掛上供牌入廚庫二

房取供二桌俟開午梆後鳴鼓三下供畢仍送入厨

庫凡有經事須衣鉢寮領供器莊嚴一一點明鋪設整齊留心香燈勿致燒燬油污經蓋桌圍謹慎小人如有失悞重罰經事畢仍一一點清交衣鉢寮派坡事半坡佛像及兩邊聖像半月一拂塵

閒住賢者樓安單全坡早晚課誦及坐香照堂中一例凡赴齋堂及繞佛在禪堂後

庫頭同貼庫米頭共寮油鹽菜果不得亂發大衆油鹽自有定例草鞋禪堂五日一發行單三日香燈照人報數點明各寮香燈來取照數點明朔望發各堂

寮油燭茶葉綫香凡上供菜果俱五碗惟影堂及祖塔加湯點攢果有齋厨房秤各下院豆腐庫內有事同貼庫相幫料理照管門戶要緊

飯頭供飯回出籮候齋上鍋爇香到開梆打粥飯先盛供次齋堂後客堂再山寮餘外堂寮不許打粥飯除有病

客飯頭每日料理小食飯頭相幫若尊客到候客堂侍寮報數入庫取米飯畢淨鍋小食鍋粑入庫俟行單發心用客飯鍋粑照單三處輪日發不得互混

貼案有齋煎腐凡有客至候客堂侍寮來報明幾桌

雜務入庫取油醬菜蔬二人料理候客飯熟齊發不得參差

茶頭單在本樓三板巡照送火點燈燒開水面湯候殿主先打供水粥罷止靜燒開靜茶及四枝香燒開水晚粥罷燒二板茶打七不定每日普梆挑柴在山門內聽值歲派與照管腳盆面盆手巾凡水開必候禪堂外單齊取過方沖冷水不得倉悴動衆人念頭

園頭單在旦過樓下與巡山接供共寮經理本園菜地及青龍山園地四季栽種不可失時大衆擡肥園頭候澆天旱澆水凡有時菜供過大衆方許客用先私後公查出重罰留菜種須要收好以爲明春之用

行堂單在齋樓右與碗頭共寮每日早午開梆值日案上燒香不得粗糙候結齋畢方許收碗值日喫頭堂候二堂以到值日行堂普茶禪堂領鍾壺遇齋鋪蒲團三箇齋畢貼票齋單地五日一掃隨衆半坡值日看寮打七點柱燈鳴小板三下藥石完止燈打碎碗一賠一有心者一賠十

接供單在旦過樓下左首大單同園頭巡山共寮每日接供各帶柴薪有失買賠清明前小食後往下院晚粥後回廚房候齊案板喫粥相幫收拾本寮香燈

逢朔望日幫接供一回重陽後喫早粥了即往下院
凡有齋帶豆腐每逢十四三十喫普茶果子供衆之
物本寮輪流送至下院有失者重罰香燈輪請磨腐
收供接引菴安單交飯即交寮用器不得遺失抵換
私送什物查出重罰交飯須盡心若有遺失伽藍不
宥必加報應凡送施主禮物收供自辦佛前燈油收
供自化若弔紙須報當家上白常住料理收供領去
私自作主罰單銀一季買油供衆臘月十五飯圓滿
發腐十觔請人幫收十六收供上山挑米每人三斗
同大衆喫米一樣只許喫不許糶如有糶者見一罰

十是日方丈一齋客堂一茶元旦上山亦然每人發
監院帖若干收供拜施主至初二日腐十觔十五起
飯腐十觔第一小心火燭每日松柴一百觔夏季八
十觔接供分帶一月油十觔鹽醬茶葉隨常住豐儉
雜務來取單銀每觔二分半算四季散惟關上二分
七釐草鞋豆腐錢每月一人六十文初二一半十六
一半凡有齋腐隨常住發俱單䞋
柴頭每日斫柴十二箇多則發心少則罰兩回帶柴
四箇餘報値歲普請若開山斫柴商之値歲毋得硬
自作主柴縛各人自辦遇有亡僧相幫料理常住發

擡龕禮一錢山寮共八分照客二分

知器單在接供寮旁小一間凡常住作器傢伙或修或置悉爲料理有普請預將用器安天王殿前用畢收拾用竹問值歲

菜頭三時菜俱預商之典座料理清潔切大衆菜一齊相幫勿使狼藉醃菜時客堂典座庫房三處商酌

火頭每早三板後當值燒粥鍋禪堂板香止靜燒飯鍋飯熟不許打火開梆後毋阻晚粥亦然監值候禪堂送香燭菜鍋有齋煎腐小火頭若蒸饅首大火頭相幫小食客飯當值燒小食菜客菜兼值燒住火即時灑掃竈前謹防火燭燒柴到三門內聽值歲派與

不得爭奪

磨頭竈樓安單閒時自己挑柴有齋入庫量豆照數報客堂派牌幫磨大衆腐交典座客腐交庫房私喫豆腐皮者罰淨腐器洗鍋小心火燭

鍋頭大衆粥飯鍋頭洗鍋相幫架筧上法雨泉舀水食罷洗椀子

巡山先同知山領明山界樹木柴薪茶筍皆所照管倘有侵占偷竊潛報常住挐究不得私自相爭及做情放走查出重罰每日三回喫二一堂

米頭凡有米到過數上倉篩淨穀沙發出平量毋使太過必至不及須信粒米如山愼勿遺壞若買豆曬乾上倉口袋腳籮繩索時時照管如有破損預白當家副寺料理

碗頭食罷挑水淨碗箸收鎖櫃中不許亂挐遺失每月用灰一擦粗糙破損者賠若交代一一點明隨衆半坡

圊頭過堂關鎖後門每早四板點路燈五板挑殿旁淨桶勤換淨水洗曬手巾潔掃淨房晚課罷送各處淨桶凡浴水深五寸九溪橋挑客堂請人相幫水熱設監浴桌位請方丈浴後照浴規次第開梆夏天一日一浴春秋五日一浴冬季半月一浴要柴不得亂斫須問過値歳秋冬爬貯敗葉以防春雨

巡照日暮定香開大靜接鐘鼓候定香到卽鳴三板送茶房燈水開鳴四板少刻五板候接大鼓兼帶門頭照管三門鎖鑰喫二堂打掃山門內外

雜務大衆鹽醬客菜作料聽典座貼案分付入庫聽發不得爭鬧相幫收拾淨器淨鍋打掃厨下厨房喫飯雜務行堂菜頭行菜鍋頭打飯雜務收拾餘照厨規

擔運庫內出山買物俱要細心庫房印糕等事關則
相幇
灑掃合院廊廡丹墀及時打掃三門外至九溪橋路
徑各祖塔上俱要拔草打掃
香燈禪堂掃塵燒香供水及時點燈止燈香燭半月
一取草鞋五日一領照看堂師行李喫二堂飯取鍋
粑除朔望二日往上堂牌其餘照規
藏樓香燈每日打茶水灑掃挑淨看行李喫二堂飯
派磨腐年供入厨庫取初三還
桂花樓香燈執照定香點右廊路燈開大靜止明早
四板點天明即止兼帶法堂樓如逢上堂小參擂大
鼓半坡派磨客腐朔望取香燭年供入厨庫取初三

還
梅蕚樓早晚點路燈與桂花樓同兼帶法堂如逢上
堂小參撞大鐘法堂上供入厨庫取上畢送還年供
初三還朔望取香燭派波等亦與桂花樓同
接供寮香燈每日打茶水灑掃看行李朔望相幇接
供一回十四二十取茶葉草鞋燭一枝遇陰雨打火
每晚定香止靜如不到者白客堂罰派磨客腐
山寮香燈打茶水灑掃淨碗打火看行李打粥飯草

鞋三日一取朔望取香燭茶葉年供入廚庫取初三還

祖師堂賢者寮二處香燈每晚定香止靜與禪堂同打茶水灑掃看寮上殿課誦朔望取香燭茶葉草鞋如有供入廚庫取上畢仍還年供初三還半坡派磨客腐

廚房每日打茶灑掃催課誦看寮除公務若止靜不到者白典座有供入庫取供畢送還年供初三還朔望取香燭茶葉燭三對兼管法雨泉

延壽堂香燈入福田中看病第一凡病人入堂單令

厚輭藥石適宜煎點慇懃問候周旋毋嫌穢惡及時打掃洗浣曬焙病人倘有所需問取庫房或湯藥寮行李若干多少白客堂僧值副寺值歲點明寄庫房病愈交還或久病難痊須調養全愈切勿始勤終怠失病人望慎之

符夢樓乃尊客宴息之處切須潔淨整齊茶水及時毋得怠慢如客至照單搬取被枕客去點交客堂留心鎖鑰遺失賠償不許私索客送及化緣等查出重罰半坡磨客腐

司水每日清晨打面湯三時漱口水出坡淨腳水及

時打掃前後丹墀及小淨溝以洗過面之湯水冲之勿令作氣堂中有事相幫其餘照堂規閑時採楊枝出生早午齋堂出生晚課誦殿上出生料理堂中有事相幫

箬菴禪師接引募規約

收十方施主之供增長福壽齋十方龍象之僧成就道業非乘願力與普賢把手共遊華藏海者不能既有此心又履此行須要豎精進幢被忍辱衣乘久遠輪懷利濟心則將來福報自然超他人一頭地矣監院料理常住照看門戶典座二時粥飯須要精潔火

頭愛惜柴薪兼帶灑掃雜務種園燒浴仍司洗桶凡五六七月每日一浴三四八月三日一浴正二九月五日一浴冬季三七日一浴山中職事唯監院副寺知客監收到許喫飯安單其餘非常住公務一概不許攪擾違者監院重罰凡收供洗足歸寮靜坐不得閑談擴寮一切事務先白監院轉上方丈既爲佛子須遵佛行肆意妄行定招愆尤第恐日久弊生放逸念起將成佛正因翻爲地獄鐵案悔之晚矣今將條約列於左

破根本大戒者重罰出院

飲酒喫烟者罰不聽出院
私自募化者出院
攪羣亂衆者出院
挑唆鬭爭者出院
偷盜柴薪蔬菜者出院
交拳相打者出院
破口相罵者出院
將常住之物私作人情者罰
飲食不隨衆者罰
私造飲食者罰

課誦不到者罰
無故不收供者罰
私留道友者罰
不受監院約束者罰
違犯條約監院不舉者倍罰

箬菴禪師接引菴列職規約

當家入則值歲出則爲當家凡下院大小事俱要留心照應門戸除公務無故不許出外若有遺失罰賠領衆課誦不許私情留客食宿或收供有病即上常住商議每月賜錢三十文䞋與序同

貼案料理大衆菜飯煎腐淨鍋開枷打板灑掃厨下隨衆課誦每月腐錢三十文雙䞋每季單銀二錢二分半醃菜雜務園頭等一齊相幫

園頭料理園地應時種菜秋後收豆竿瓜棚擅燒者罰如缺爛問値歲添補自擔回兼帶圊頭燒浴收置菜種腐錢單銀䞋與貼案同

火頭每日燒面湯開水粥飯息枯炭不許私作人情天晴不許打火單銀䞋同貼案硬打者白當家罰

水頭挑水破柴不許人擅取取者罰隨衆課誦腐錢單銀䞋與貼案同

雜務行堂淨碗供回出飯洗桶淨匾洗菜打掃殿堂路徑照管三門上常住取什務朔望供燭一對年燭四對寮燭自備腐錢單銀䞋與貼案同

迦陵禪師規約

常住雖古刹已爲湯宅故地捨出爲寺開山大師頭結箬祖中結天笠老人旁結再普塔截流大師墖常住甚平穩後康熙三十七年獨超和尚特將六吉老和尚塔葬於山前從此多生疾病寂滅者不可勝數矣後睦菴和尚寂後衆門人以塔葬於後龍脉上湯護法與本家超字十八位明字九位同白於官乃移

於東厮之右音來繼席心甚不忍欲爲遷移其子孫
不允因將此事白於
雍親王自今
勅建後凡有住持趣寂者皆葬於蓮花峰本山永不許葬
壞千年常住風水若有葬者許大衆鳴之當道重處
不恕

一常住修造與諸處下院皆請堪輿看過一切門窗
等類皆配生合後住者切不宜改

一常住無宗堂凡住過者乃入牌位但大衆禮拜非
同等閑必爲大衆結冬打七以法住持者方許送入

一叢林之廢廢於老堂耆宿往往外通施主以固其
權內納行單以豎其勢擴易方丈請黜職事皆歸掌
握甚至盜取山田私蓄徒衆常住幸無此輩已後有
久職事送歸一寮不許在外結納施主招留眷屬

一常住並無山主檀越凡請新方丈列數名於餅內
在韋馱前同兩序大衆拈鬮出請書斷不可商之施
主老堂以遺後害新方丈進院舊方丈退處客方丈
同兩序一一交明倘有遺失者舊方丈賠補交清兩
序方許交代若不候新方丈到即去者兩序大衆公
擯以後子孫不得再入

一茶園乃一年常住之需須勤著人鋤荒芟草冬間灌溉春間添補穀雨後看茶及時方採茶亭後一段青龍山一段園房一段方家塢一段大人峯一段宏法寺一段八角山一段請會作者作之採茶時知山巡山日夜巡察常有顧此失彼之虞每日腐飯淨浴大衆一齊出門採二茶在夏至前後凡茶籃茶檯查清收歸延壽堂單項以備次年之用須作一色者方丈大衆均用不許作細茶送客留方丈以偏大衆

一完錢糧監院都監副寺同去年年不同完過收取紅票以爲後証若無紅票彼即不準必有徵討紅票歸寺呈方丈收拾櫃中上號某年錢糧票幾張在內

以備查考

一清衆外單重病入延壽堂寂後停龕延壽一日兩序如有病入上延壽堂亡後停龕舊菜房三日如方丈有病入客方丈若示寂者停龕客方丈三七日早晚課誦後大衆持咒三日五日後估唱晚粥前維那舉大衆齊念南無清淨法身毘盧遮那佛衣具包袱被褥入常住庫房客堂二處計賬餘則估唱只許行單買以遺資設腐供衆

一凡請職事在堂内貼單者進堂行禮都監當家知

客等俱不叅堂堂內貼單只紀錄叅堂影堂侍者雖
貼單俱不叅堂方丈請一齋一茶巡寮打序板集兩
序看單早課送大殿位齋堂送坐位禮方丈一拜若
告暫假他去有功行者回來仍歸本寮如無功行者
不准

一打七理安楊墳俱每夜十枝香放香養息一枝香
即打巡照四板淨面各歸單坐飲糖湯候厨下接板
即經行大殿繞佛打站板課誦完打抽解每飯粥止
静香站大半枝站須雙足齊並不得八字參差雙手
垂下不許叉手行忌袖手坐忌垂足師家考功惟提

本叅學人請益單問話頭不許儱統公案此係老祖
規矩切不宜改

一香板之式理安為最巡香板長二尺監香板一尺
八寸看香板長二尺二寸散香板三尺六寸凡香板
巡香惟打昏沉監香兼帶掉舉板首策香專看工夫
方丈看香惟是直下會取而已故巡香須是兩手捧
持不許一手垂下監香一手擎一手垂不得將香板
拖下應作供養想板首則上下不拘不論昏沉掉舉
盡皆可打

一常住不許在外應酬如有信心施主特請或在常

住念誦皆是隨衆茶飯下午添小食晚上添一茶淸衆行單不輪人少則維那庫房客堂書記侍者人多則知藏寮頭值歲典座等每日䞋金多則五分一人少則三分一人餘則盡歸常住諷經者得一半一半同寮均分欲口維那當家分輪不會另請若有爭者立刻出院

一施主設齋任憑發心公䞋序䞋客堂不許索討違者立擯若有發心者多寡分派若五兩則無自六兩外至十兩止每兩出銀一錢以爲公䞋除公扣外分作二分一分庫房廚房一分客堂值歲寮侍寮庫房

都監監院副寺監收庫頭擔運米頭貼庫廚房典座貼案飯頭客飯頭鍋頭菜頭火頭水頭磨頭雜務客堂知客照客知隨值歲寮巡山茶房值歲園房殿主巡照本寮香燈侍寮侍者行者禪堂上供有供儀寫疏有疏儀宣疏有宣疏儀俱係公扣凡遇齋五兩以下者扣二分十兩以下者扣三分客堂收貯以買各處水牌雙䞋例照柴頭園頭茶園接供茶頭廚房磨頭庫內行者圍頭巡山行者照客清波下院列職四人弘法園頭江頭園頭飯頭赤山埠下院俱雙分惟收供單分方丈十倍逢上堂香儀與序䞋同派坡亦

十分

一常住文契關係非淺往往被人盜去以致二處爭競今後查明其若干紙貯於大櫃存方丈鑰匙存庫房若要契對卽方丈亦不許私看必監院副寺知客監收藏主僧值皆到方許開櫃私開者罰銀十兩完錢糧方丈私開罰銀二十兩新舊交代時先點文契不淸不接接卽新方丈事有失者賠償夫叢林之興非興於興之時當其廢時憂勤惕慮實爲興之基及其廢也非廢於廢之時當其興也縱情恣意眞爲廢之本所謂千年常住人非千年也地非千年也山園

田產佛相莊嚴及一切養生之具均非千年也而得千年者何祇此規矩條例前人遺留後輩遵守永遠弗替者是也能守一日便爲一日常住能守百年便爲百年常住矣音於康熙三十年下南時猶未脫白偶到南澗頂禮天笠老人便生無限仰慕之心至三十五年叅獨叔鐵叔睦叔金山法乳叔可達叔淨土身葉叔遠叔以及先師瀚叔應叔牧叔皆親侍丈室職當記錄者五次承諸老人耳提面命不一是故祖山規矩細微曲折無不盡知及來據室一一遵守絲毫不敢改易妄自杜撰取罰龍天招咎伽藍今三年

已满特将规矩再细录出以便据室者务必虔守虔遵则祖山规模不至湮没矣

迦陵禅师经房规约

经书法宝元贵流通往往以无资刷印为憾音退院之日两序公议开经房以便流通一则便于方来请阅二则不致乱印坏板特命秀峯环广二藏主尽其事此项银钱不许入常住有余则以修板刚够则再买纸墨只许买不许自刷印模打违者出院凡有交代须择二人久住老诚职事主之两序交明方丈送客一如买例特将名目价赀谨录于左

金刚经帖 一钱三分

丈室铭 五分

宗鉴室帖 一钱五分

续灯存稿 二钱

法雨山居诗 一分

箬祖录 六分

晓祖录 三分

天祖录 一钱二分

宗鉴法林 六钱

杂毒海 八分

詩韻 一分

夢老和尚錄 三分

迦陵禪師錄 一錢二分

語要 一分二釐

指要 一分

武林理安寺志卷之六終

詩頌一卷

夢石和尚錄二卷

迦陵禪師錄一卷

語要一卷二篇

指要一卷

武林理安寺志卷之八終

武林理安寺志卷之七

著述

粤自騰蘭演法拯溺逝川性相澄虛祇園寂照印空慧於身心因文詞爲解脫言之不可已也厥惟舊哉寺之宗旨闡乎法雨箬菴而繼此肇興則天笠最稱極盛是故引啟入正妙演一音奧諦緒言上登秘藏其餘纂述寖以滋多又況上遡宋元迄於今日寶地澄輝名流連襼極勝引之鉅製結蓮社之淸緣月故歲新裒然成帙爰是兼搜衆妙用表鴻裁庶幾常與名藍共不朽也乎志著述

理安寺紀四卷

法雨大師緝板燬乾隆戊寅住持實月重刊

仁和吳樹虛序始予與智公往來於定香定香破寺也飱粥不繼未幾而腐朽化爲莊嚴學侶自遠來集聲名洋溢於武林諸梵剎間甲戌之歲遂繼其授法和尚之位於理安於今五年公嘗謂予曰理安爲諸山辦道之最參方諸德友向有生死理安之謠葢以地僻遠於西湖遊人舟車所不及鉢飯悉仰給於城中午饔之餘隔日而運諸寺食嘗饘餲齋施簡之居者無以完整衲袚自非放下一切專其念以究明大事者裹足悉不肯前而禪堂蚤晚規矩香板嚴緊十二時中不得一二時之偷以安挂單未幾脆弱者以病告其勤策學處也如是是以出於其堂者破關透洞較他處爲最多今予主此志欲振作淬厲還其向時模範而時異言異稍切磨之而虎其堂虛無人因循以迄於今理安不負予予則有愧於理安其思有以解其愧斯可於是謀作寺志乞諸杭太史董浦既告成矣復以理安鐘板開堂始自箬菴和尚而箬菴

武林理安寺志卷之七

藝文

[illegible]

[illegible]

之受度師則爲法雨上人重創茲寺因作寺紀板刻亦毀矣乃繼新志爲重刻之夫智公之楗椎接引豈有愧於昔之人哉特以西湖諸叢林一首稱五山理安預五山之數而獨無志亦寺主人之一闕也智公不欲露前人之闕姑以是爲辭又以寺經 朝廷改建宏模壯規迴殊向時以見者口豔於 恩寵而目覩其巍峩幾忘昔者風雪破舍中有老人一杖一瓢沙以築基薙草而置棟拮据數十年始得伏虎師之遺跡則其重爲刊此其措心不亦微矣乎智公爲箬菴五世孫名實月字智朗江南上元人今來問序樹虛爲發其微以詔來者乾隆戊寅歲三月 住持實月䟦

理安五代時伏虎禪師創建至明隆萬間化爲荒烟蔓草佛石大師一缽入磵中勤苦數十年再成叢席箬祖因之脫白建立石磬宗旨爲其後者可不飲水思源知所重乎佛經孝順爲戒禮云子雖齊聖不先父食康熙年間托寺重建奉箬祖諸住持之木主於正堂祀大師之肖像於偏所失禮甚矣如曰重宗統則吾不知其說遺囑云建寺始末悉載碑記參訪緣起在行實中并著有微笑南磵等集今俱無從考核此紀大師手蹟得自杭太史處捧讀之間而雪眉跣足搬石拽木之一老僧儼立於目前矣恐復湮沒刊刻流通并敘其事如左庶閱者知所重云

乾隆二十三年孟夏上浣

南澗集一卷

法雨大師與名人倡和之作板燬

山居詩一卷

法雨大師著

雪嶠大師逆佛石禪師埋沒山中三十年逍遙過日一味隨緣不知有佛有祖惟見疇頭蔬鉢中飯一飽便休伸脚打眼翻箇身來白雲牀脚紅日窗櫺書氣現前高歌低調或踏月過山頭或問花上螺髻法雨巖頭躬身篠硯點點滴滴俱乃自已鼻孔中流出受用何多月久浸深積成數十篇門人刻行與人間咏之謂佛石山僊法雨詩丁丑仲夏徑山青獅翁圓信

天笠禪師跋法雨大師山居二十七韻明隆萬間重

開理安時作也語風大師書序流通海内五十餘年矣順治戊戌秋蜀中丈雪醉公賫破山和尚遺錄至維揚乞弘覺老人筆削而法雨詩亦屬槀中老人驚訝以訊醉公公答以本師住山時作老人笑云此是武林十八澗法雨詩乃箬兄受業師也其詩金聲玉振天下學者誦之誤證爲汝師詩豈不取笑天下乎醉公固爭不已老人呼左右即於淨慧園收法雨詩數卷示之醉公杜口怏怏而退槀中刪去法雨詩矣庚子夏有蜀僧復持刻本以法雨詩爲破山詩另行楚蜀間此余兩次目擊何醉公沉迷不醒若是按破和尚行由崇禎間始參天童山主東塔未幾返蜀法雨詩乃隆萬時作此詩可移年代不可移一也語風序中或問花上螺髻法雨巖頭躬身滌硯此詩可移山水不可移二也詩中有千樹楊梅百畝茶蜀中無楊梅此詩可移佳果不可移三也又有箬屋舊來新草生箬屋即今之且住菴大師初創時先師來求芟染即以菴名字之此詩可移人物之不可移四也吾聞破和尚在蜀法體雄偉現逆行菩薩相數人輿舁不起若我開山大師木食澗飲清苦自勵所謂山勞半世白鬚生骨瘦翻嫌拄杖肥二十七韻中句句字

字寫南澗面目吐法雨血心詎可借貸他人此人詩之斷斷乎不可分移者五也縱使醉公具大神通奮五丁之力祖龍之鞭鞭南屏西湖納諸瞿塘灩澦堆中第恐鞭折力疲而牛後之金鮑魚之臭傾三峽之水不能洗其萬一也矣況破和尚乃宗門碩匠豈假以詩鳴世耶嗚呼彼時弘覺老人明誨若霹靂震其頂額而醉公之醉至今不得醒何哉丁巳春余再領南澗開誦法雨詩勉以巴調和陽春并辨其種種之誤於後云

續五燈存藁十二卷

箬菴大師緝笠澤居士華亭施沛彙集

華亭沈荃序嘗聞世有以海嶽爲大者乎曰未也天地固覆載之矣有以天地爲大者乎曰未也虛空具涵之矣然則孰爲大者乎曰惟心爲大蓋心虛靈不昧包涵乎六合萬彙者也嗚呼心固大矣苟非穎悟其精微極致曷知其爲大者哉是故聖賢治世戒謹恐懼修道教育不可須臾離其性也佛祖應緣直指

朗悟傳法度迷不可毫釐異其心也足徵儒佛之性理至矣大矣無間然矣余操觚游藝時偶過山寺得閱五燈會元一書展卷如獲舊物遂留止晨夕不覺終卷備悉佛祖心心相印燈燈相續教外之旨無盡之光溢乎心燈言象之表可謂至大至極者歟故曰天地萬物至空而極江河淮泗至海而極舉世賢愚至佛而極是書之有裨於玄學修道之士可勝言也耶於是三餘之暇得與吾鄉笠翁鑫庵二師游然已默識其爲法門能象矣惜乎鑫公中頒於虞山而笠翁翔翔乎楚甸余亦宦游於四方自茲音聞間如二十有禩矣乙卯秋忽德音遠逮上首允公來京師并賚箬大師所緝五燈存纂命荒言弁首猗歟休哉續數百年來祖祖相傳之慧命照耀於今昔得非乘夙願而來歟余雖不敏是素志也序何敢辭方今天步維艱逆氛未殄幸邀諸祖之微言冥贊皇猷之至化俾封疆與法海瀰寬　聖德與心燈永大余夙夜匪懈鞅掌絲綸晷刻不忘其大者故樂爲之序云爾時康熙乙卯陽月朔

門人行昱序

昔世尊拈華迦葉破顏微笑達磨面壁神光斷臂安心逮至曹谿以降沿流益長波瀾益廣唱愈高機愈峻派刻五家門庭各立或電捲風馳或孤危聳峭或金鍼綿密或父子投機或箭鋒相拄其千差萬別各各不同苟非具載本末則後學何從考證斯傳燈五燈之所由作也自宋季迄今四百年來雖溈仰法眼雲門三宗不幸相繼無傳而臨濟曹洞二支繩繩不絕代有其人奈何闕然未有繼其作者致使大方宗匠湮沒無聞佛祖慧命何翅一絲之懸九鼎哉先老人爲此深濯留意捃摭蒐羅有年每出訪求不遠千里崇禎壬午夏晤施別駕於雲間得其所纂不謀而同於是浩然而歸藏筆從事又數年編集成書正謀鏤板遭時搶壞復秘而藏之不幸先師遽云示寂十餘年來昱僻居荒裔力不從心切思年運往矣來日幾何投足拊膺詎容再緩忝徒定復平能憂人之憂慨然擔荷成此勝事後之復有繼而作者或由此而推廣之傳燈燈不墜斯文豈有既哉

康熙丙午中秋

箬菴禪師語錄十卷

門人行昱等編

[illegible]禪師語錄十卷

門人行[illegible]等編

綮聯壁序只這一鍼一線刺繡鴛鴦手眼各別故拈花微笑密密聯絲斷胷安心燈燈遞焰以至兩派分支五宗競秀亦總這一鍼一線也觀體不異拈用匪同何以故悟緣元從本領作畧自趁玄機秪箇禹門龍池跳出天童磬山兩大老轟天震地世界掀翻天童矢尖加鏃放去太危磬山袖裏藏鋒收來較捷盡世英靈都不出二老圈續石車費隱破山諸翁嗣天童其最著者所以天童昔年解制金粟有放出一擎猛虎句喜可知已亦復各守邊疆各豎旗幟虎驟龍驟疇楚疇漢而嗣磬山有林皐箸菴伯仲兩師翁叔季皆崢嶸獨壁護兩翁法席最切傾兩翁法要最親兩翁固墳箎也然乃玄猷殊展應機迴絕奇哉希有彼劍有銛銑能射九霄之斗此水無筋骨能勝萬斛之舟彼老碪枯梼從霜雪堆頭垒出希霧蒸霞此大鵬金翅從荊棘林中展開摩天垂日道同幾相謀耶至於登磬山之堂據螺峰之項把住津要攔截咽喉塗毒龍蛇煅煉凡聖挽起也兩莖鐵眉噴來也一盆火血無解無結斷送春秋同作同爲渾忘賓主一霎掃陳年葛藤一霎翻新年公案刀耕火種寥寂門風運石搬沙尋常生活從上古錐今日作家叉無出這

一鍼一線也雖然對對鴛鴦飛譜上莫被鴛鴦換眼睛請更向未下繡時著隻眼咦崇禎丁丑中秋門人行昱重刻箸菴和尚語錄序汾陽老祖嘗言行腳時所見知識七十餘員其間具大眼目者僅得一二行昱始閱傳燈疑其言之太過自今觀之不足怪矣吁濟上一宗四百年來陵夷始盡苟非先南澗乘願輪而來振領提綱佩起一時則列祖不傳之要甯有今日自先師遷化十有四年聞見日益不堪洵如蘇了之言深山大澤龍亡虎逝則舞鰌鱓而號狐狸者也丁未秋杪天山定姪從浙中歸得理安堂頭洸法弟手書并寄先師五會錄一部焚香展閱頓覺耳目驚換數年士面灰頭一旦毛孔震裂茫然自失莫知端倪不異三十年前南澗室中親炙先師景況反覆紬繹終日不能釋手禱念是錄湘南潭北皆未及見欲重梓以廣流通復慮滇滓浩瀚讀者不能卒業摘其平易者僅存其十之三手鈔爲一編以公諸同志擇乳鶩王素非鳴類若謂先師有所說法則劍去久矣時戊申孟春

梅谷禪師緝

自序夫道本無言栗棘蓬可吞此語不可吞也因言顯道金剛圈可跳此語不可跳也昔者積翠老南禪師深諳此義故彙刻馬祖百丈黃檗臨濟平日提唱語諸方識者稱爲四家宗要嗣後有藏主頤公者即此四家上冠南嶽下續二十餘人并收青原下十餘人總名古尊宿語錄至今叢林猶得覩諸祖全體大用實承二師之力歲月迭遷屢經鐫刻其中編次之倒置字句之魯魚大非二師手編面目矣悅不揣孤陋詳加校訂凡重複者刪之譌謬者正之倒置者序之殘闕者補之又於揚岐下續白雲東山下續圓悟至禹門別作一帙爲曹谿直下相承三十三代之錄蓋因曹谿中葉正脈衰微若寶藏東明諸祖語錄多散佚湮沒或未廣流通悅爲此懼乃合其散佚并流通未廣者並依源流編次而上承下接燄續輝聯庶幾永無零落且便並廣流通若古若今若孫若祖歷代而目具在目前使後世宗支遡流窮源不假他處尋覓展卷可得也草創於丙申之冬至丁未秋自嶺表送列祖提綱錄板入藏歸寓金陵蔣山始獲慈祖

行實碑及親書付瑄祖偈方得脫藁起自南嶽止於禹門命曰正宗語錄凡六十一卷二千一百餘葉七十萬餘言又經四載復入嶺募貲刊刻備遇逆境不敢萌纖毫退志茲幸廣州衆檀同發爲法忘軀之心表章宗祖之志各各助貲助力兩閱寒暑方竣梓工更喜目山大師樂爲讐校用免諸譌爰識歲月以志不忘盛心悅自念闇劣無能禆益我宗大典尚冀大方尊宿慈施垂示焉康熙十一年壬子十月前住持南磵理安寺平江比邱行悅書

列祖提綱錄四十二卷

梅谷禪師緝

錢塘陸圻序竊聞釋氏之教不立文義科指則提綱胡爲者也史家者流綱以爲書法目以爲序事而予雲亦云紀事者必提其要然則宗非史史非宗胡爲而提其綱哉乃予則以爲不然禪之爲訓也書不盡言言不盡意學者但當推其不盡而有以立於其通不得謂書與言之遂可廢也若執以爲繁稱曲說破

碎大道而與荒經蔑古者等則是懸度道人可以立
心無之義而黃悔獨療可以隱無記之空也乃予所
交呆翁知尚得法於南備箸尊宿而顯揚先世之烈
輯有列祖提綱一書連類比物按部考班蓋秩然不
可亂者幾於禪之史矣乃予以爲禪有五燈會元則
問呇機緣於是乎備禪有列祖提編則因時化導於
是乎全而其所直指者即從同同固未嘗以多岐惑
也且臨濟之賓上歷然曹洞之君臣道合何處不提
其綱而必訝和尚之創與耶是在善讀者乘時而進
顧轗影而馳得書以實其虛緣悋以慮其實夾擊而
爾無所往則必有劃然以解者而我轉法華何必不
更讀法華哉康熙丙午十月既茔　往黃悔四祖雙
峰山東炅沙門戒顯序靈山拈華少室安心雖円直
指單傳不立文字而以楔出楔用兵止兵既於無言
說中而耤言說郎於無綱要中而有綱要故曰依經
解義三世佛苑離經一宁即同魔說不易之道也奈
耳食者流膠滯陳說謂既稱向上衆流截斷惡藉文
言又云既號宗門拈來便是豈有格則且援曹綮不
識字爲黎根捷徑由是邪正不分朱紫混雜羣言淆
亂瓦缶爭鳴言不涉典章事不合軌則街談俚語信

釆亂道蜀日粵雪反肆識詞而宗門事大變矣呆翁
悅和尚與余同士且共事有年既而法嗣南潤旋從
繼席道行四載痛念法門江河日潰砥桂無門佛祖
慧命攸關端在說法乃哀集列祖法語分門析類輯
成部怏自上堂小參示衆曹說以至隨機拈示各有
科條其見諸行事者千端萬緒一準大智老祖百丈
清規綱舉目張各有部從題日列祖提綱錄比類以
觀如亞夫細挪之陣紀律精嚴如光弼入子儀軍壁
壘一變俾末學晚進猶及見古德說法大全厥功匪
細矣或日禪貴腕襟流出見性吐露令編列義頻動
成格則令劖竊之徒印板打來模于脫出不更與賊
過棣乎余日非也學家杜撰亂說只爲不通綱要倘
肯向此精研自然識法者懼如入淸廟明堂見三代
禮樂綿叢倨侮自懶見戲高者金章玉句剔骨刷髓
次者亦規行矩步言不妄發狐犴喧囂得此大救懸
之國門布之叢席豈不與統要聯珠五燈諸集其爲
宗門月月也哉　往金陵棲霞寺古闔沙門大依序
吾宗自大智以下典模大備誠所云三代禮樂也洎
南宋後稍淩夷衰徽矣有明二百餘年岌岌於廣陵
散熹廟間諸老先後高建旗鼓於江東南嗣而兩宗

門下莫不家發豐城之劍人懷射斗之光但頗靡之餘叢席草創法紀未詳近二老成晉意舊章者亦既神而明之然綱要未經提揭而條理依舊參商子此二十年前與呆翁和尚同參濟下尊宿每抗論及此蓋不勝挽腕焉既而南北各師吳楚異域和尚久出世名藍爲東南所皈一日竟拂衣去抱特立之志走天下名山川廣搜博採二十年來而列祖提綱成自粤北歸首抵金陵過我攝山燒燈道故爰出是書命爲弁首快意之餘焚香載讀如登百丈堂見聲鐘伐鼓千五百人濟濟蹡蹡載奔載拜也至於法言之超卓眼目之分明四百餘人如出一人四十餘卷不多一字集者之心力眞鎔鑄古今矣或云禪貴妙悟文言其末規則奚爲設若令世尊降天垂寶蓋之重向紙錢灰裏坐臥舍花雨梵樂之供就廚房竹筒裏覓食則四十九年百萬人天將何所瞻依何所開悟耶抑思沛公之馬上終歸制度鵰舉之野戰還習陣圖安有到潼關云見大了外宮牆能富百官也是書也三百餘種三千餘則合上下古今人先型俱在目擊道存皆和尚之血心片片赤手提持倘或承言滯句播弄篇章帶累呆和尚沒量罪過而列祖亦沒量罪過也

自序

宗門列祖之機緣拈頌禪燈諸錄載之詳矣宋元諸尊宿見後學罕能通究復爲採摭機緣繫以拈頌別訂集本流布叢林使學者備考明辨易若指掌此眞大法光明幢也其拈古集曰宗門統要頌古集曰頌古聯珠然統要又見續集聯珠亦見通集矣惟列祖歷座提綱語古今採集者闕如每遇叢林先輩咸爲慨歎行悅人微道潛聞見陋狹勉承先輩之志借百丈清規住持日用諸事會集列祖提綱語二十年間蒐獵羣策以事集言因言立事或今或古隨見隨書故無尊卑世次宗派異同僅如妙喜之正法眼藏其編次標題概遵清規舊本所集古今提唱宗師四百餘人在臨濟至龍池幻祖下三世止曹洞至壽昌經祖下三世止雲門澄祖下二世止其潙仰雲門法眼及五宗前正傳旁出諸祖各收至燈錄止處提綱語三千餘則叢林所宜事務之要三百餘種命曰列祖提綱錄次四十二卷雖列祖提持佛法大綱旨要固不在茲而於唱道立言之體大署備矣庚子春因謝先南澗院事乃擕是槖須遊粤東感都督粟公性然并劉公新菴鳳菴兩護法喜流通大法捐資共爲剞劂首倡雄郡郡伯陸公孝山葭州

太尊閔公捷宇保昌邑侯李公集公及王公旻壽李公茂先張公偏菴蕭公聖至等解橐捐資翕然樂助板刻既成謹書緣起於右

康熙五年十二月成道日

梅谷禪師語錄八卷

〔宋之繩序〕呆翁和尚濟下宗工錐劄後學語語血痕凡有心眼者靡不嚮往而傾誠之客冬飛錫瀨渚暫止東林去敝廬僅數百武而予適患風痺不克一扣洪鐘因緣間阻可勝太息臨濟正宗傳至慶曆危乎九鼎懸於一絲實得吾鄉幻師老和尚唱道禹門光明屹赫千日當空門下象龍星分棋布其鼎峙海內者推天童磬山兩宗特盛磬山嫡孫南澗眞子今上首源公長老持師平日提唱見示病餘展讀如明月走盤不足喻其活潑如吹毛出匣不足喻其鋒鋩如金剛圈不足喻其難透如栗棘蓬不足喻其難吞信乎臨濟眞正血脈與諸方自別〔如皐范端序〕從上佛祖明心見性不可以名相求安有文字文殊入室乃至無有至於五千四十八皆文字中見性靈郎機鋒湊合亦在忘言得力之後豈一味寂照便可了

當七佛二十八祖悟道有機緣傳燈有錄文字亦方便法門也古今衣鉢相承必心口印證而授受始爲有據然則支那撰述其曷可已乎呆翁禪師嗣磬山正派先後開堂南澗龍光蔣山諸勝皆具獅子奮迅說法如雲雷頃動六宇閑關雉皐歷有年所甲子飛錫京師九皐一鳴流聞天野非吾學之云聲色不大者乎時余歷任版曹公事暇竊探門外不勝歎服一日因國勇佟公達於朝允建剎延師適駕東巡剎未遑師遂圓寂其明心見性普示學者歷歷目前所著法語如舌上蓮花庭前柏子不足彈其義蘊付剞劂以廣流傳凡利生覺世者可知文字言語乃不二法門此編一出不怕狂象不就馴嗜驢兒不開眼也〔釋大依序〕握掣電之權者未必窺二西之祕爛天花之藻者自不神石火之機合璉嵩之靈苗爲濟洞所欽式令不能不翹首我梅翁呆和尚也和尚吳門人於丙辰年月日時都人見白光燭天和尚母夫人夢梅而和尚生焉命名呆襁褓口喃喃皆佛字聞者異之稍長業儒目十行下才河漢無極老師皆佛之旣盡讀古人書日此無與生死也因閱大慧禪師錄有省遂棄家受業於中峰蒼雪法師講筵數千

指首推和尚一副講郎四座辟易起再歲請清涼徹和尚受三聚戒徹深器和尚也禮愛出萬指上一口墮枕子偏參天童石鼓千指曹雞金粟報恩徑山雲門夾山南澗乃嗣南澗然所至皆首肯知尚獨不可所謂在瀉山不肯瀉山在洞山不肯洞山獨於南澗一見機契推第一座予始自夾山過報恩法堂構人中和尚視予且久予亦視和尚久旁人不知也乃相與數晨夕上下古今者久之和尚謂予曰此法門何等時也神前酒臺盤溪深杓柄長之語我雨人勉之予唯難恨見之晚是時濟洞下法席棋布和尚聲稱藉甚凡腰包者皆仰止和尚焉既罷參始養毋終其喪開法於浙之古漏澤而甘露而淨居而小雲棲而天福而東林而白雲而龍山而伏虎禪淨土龍象肩相摩和尚壁萬切立而望崖點頷者比此然也有各剎錄行世平生一食敝衲又性躁好直言不苟與世人晚結茆深塢以永明百八自律游覽華藏入龍祖月輪三昧人莫測其所止云南菴依日子與梅和尚先後出入於石磬下尊宿之門故予於諸衲予中獨深知和尚者也且無論和尚人天報所至龍象而冥冥之神請說法要當絕人遠甚和尚法座偏天下著述充棟梁晚律百入入月輪三昧予亦何足以知和尚也所侍和尚知予深敢謂予深知和尚有自來矣高風稟然可畏而仰　鶴林釋行植序原夫曹溪滴水雖分為五派獨滹沱一脈溺漫浩溯莫測涯渼繼而流入龍池頓驚浪涌雷轟雲興雨布頭角並現神變愈奇由是太白燈傳天下磬音響震中外法運之隆靡過此也我南澗法伯箸老人門下諸兄尤為煙赫各化一方建大旃鼓梅翁法兄和尚更居其首梅兄少挺生知棄儒學佛初懸講筵繼登禪席所到之處丰儀溫雅人皆喜近之至機辯縱橫人又敬畏之昔張子房貌如處子坐籌帷幄萬夫莫當永嘉一宿覺柔弱亦然然其發言曰急須提起吹毛利要剖酉來第一義則猛利可知矣梅兄居恒好戴幅巾著皂靴舉止飄逸宛一儒者標格見人和顏悅色藹然可親及其整刷風規操持法柄則如棘門霸上詎可觸其鋒鑑鏑叩尊宿當仁不讓斷驗學者縱奪自由設遇不是那家種草拈弄這家茶飯以法為戲論者必止言膺色深錐痛剳使其情枯智竭口味目張而後已所謂佛法無人情放過則不可老婆心切有如此者或曰梅兄一生卓絕過人惜無紹後余曰非也梅

兄四坐菩提場撻佛之示緇素衆隨者良討其數豈無一箇半箇入其堂奧密契其意者乎或祕重韜晦一旦時至埋彰人天衆前拈出辦香知恩報恩亦未可定此不特慶梅兄之行後抑以慶法門之有人也余當拭目望之茲者護法曾菴張公請金山鐵翁法兄和尚萃智可度公編錄梅兄遺稾付梓屬余序余愧不文又不敢卻蓋梅兄同門契厚莫過鐵兄而最後知深又莫過魯翁與余故其入滅將近並以後事見囑旨固有在也嗟乎梅兄著作頗多今遺稾十不存一然廣大精微靡所不備讀之者自能開心悟不異現在說法在生平行繇詳鐵兄傳中余董述其既云

續正說一卷

濟水洸禪師著

天笠珍禪師序法道下衰莫甚於今諸方鬪諍堅固涯岸各封欲抑濟源之盛謬云先斷必先續濫收無統系之徒直列之於前擬尊洞派之高僞稱先覺郎後覺擯棄有名位之祖反置之於後其間犒亂傳燈

疑誤正統辯以校舉不有具大眼目痛傷佛祖慧命者聿起而輔正之則後學從冥入冥滔滔趨下莫之返良可歎也余生不辰忝厠法門自五領祖席以來無補於世惟朝夕與十方衲子眉毛撕結必期徹證已躬下事圖報佛祖萬一而已至於諸方是非非是不顧見聞乙卯秋訪濟水法兄於花塢挑燈夜話間出製作千餘言文簡意深理直氣順句句摧訛顯正揀異辯邪讀之不忍釋手益爲洞下位中符公出釋誤篇之誤而反正之嗟乎吾濟兄謝事南澗數載韜光巖谷諸方咸稱古佛安有古佛動念發此不平之鳴則知符公誤已誤人誤祖宗之極矣釋誤種種之誤余無暇置喙獨以先老人論笑祖驂芳序云不肖上承迦葉六十三世之元祖指祖大奇之元祖下繼曹溪三十一葉之眞孫指父無聞爲眞孫玩承繼二字可見若云六十四世豈得稱父爲元祖若云三十二葉豈得自稱爲眞孫此千古不易之論而符公强以元祖指迦葉言自笑祖溯數至迦葉爲六十三世故曰上承既指迦葉何不竟稱始祖令天下叢林皆稱迦葉爲西天第一祖達磨爲東土初祖夫元者長嫡之謂也元孫元祖上下通稱迦葉斷無稱元之理

焉有從巳溯至迦葉自稱爲元祖乎稱元者確指天奇上承六十三世之嫡祖也又强指眞孫爲大鑒言自迦葉順數至四祖道信爲三十一葉五祖爲子六祖爲孫故曰下繼既指大鑒爲眞孫何不竟稱爲下繼大醫三十三葉而又先稱四祖五祖爲曹溪豈不自語矛盾乎先師直揭天奇爲元祖無聞爲眞孫如青天白日尚自昏瞶反扭揑五祖爲子六祖爲孫此眞何說那能顛倒我衣裳耶復妄引悖逆狂禪欺祖蔑宗不經之臆說爲釋謬張本輕侮光明碩大繼往開來之導師益見符公之謬攝心乖戾釋謬之謬已謬人將謂天下竟無其人焉符公復不見續畧二南嶽二十八世南京覺華禪師之上堂乎迦葉微笑二祖覔心不得處紹如來之傳燈續祖庭之正脈聯二十八世之英華接三十四代之骨髓華初叅翼善海舟慈有省後至太平寶月潭印證潭與楚山琦同嗣東林悟爲南嶽下二十七世華與海舟爲嫡堂昆弟豈不同接初祖之骨髓爲三十四代並聯南嶽之英華爲二十八世則海舟爲楚山猶子深切著明矣符公何爲謬證楚山寄玉峰之訛偈沈貫銘海舟之文妄欲截去南嶽正傳寶藏東明二世奈何覺華之僞法語在續

燈中世代班班可考符公何不先爲剗去而出釋謬謬人可也今而後吾知符公通身舌劍徧地筆刀不能僞辨順非矣是以濟兄惜祖道之凌夷後學之失據不得不摧訛而顯正之豈好辯哉亦不得已也余特揭其大謬之尤者弁其首云

正法録一卷

濟水禪師著

自序夫立言垂世非智通今古識鑒物表理事融會而不惑者莫能爲之觀古之著述義高旨勝詞意俱暢者指不勝屈鐔津集雜毒海山菴雜録等是矣非若後之竊名欺世言行乖外而妄自評議無所畏忌者得可企及乃有學乖先哲道非契悟之士代不一出言循臆説理出矯誣衒一巳之偏私瞖多人之慧眼人無凡聖之殊解濫正邪之辨屈大聖於世賢之不若排祖語於世諺之無分或以圓極之談釀成偏小之説或以莫羈之侶雷同具縛之流喪金鉀於庸手沉智檝於禪河自之非據理相與正之則後學從冥

入冥何時而得睹天日之明也余賦性固陋幸藉先聖之慈於道少有一隙之明闕古今方冊罔見有與佛祖見處齟齬者皆就其已然之詞析而決之非敢少萌生滅之心而自甘沉埋於是非之域也幸諸明與鑒而原之以知余之心有在焉茲名正法錄者欲使知靈山一會猶未散也

回生訣一卷正訛錄一卷傳戒儀範二卷

濟水禪師著

回生訣自序我宗無語句亦無實法與人若有一法與人喫土亦不消今之所以有言者何也其有毒樹生庭不得不伐若樹之根株枯朽雖長柄斧亦無所用也余每見諸好心參學者迷失良導金鑰罔辨往往以食迦羅迦果謂鎮頭迦果身壞命終而莫之覺故發惻隱心出此回生訣以辨二果之損益令人之愼其所養以全天年非有他所尙也智者新爲鑒諸

濟水洗禪師語錄一卷

仁和楊雍序禪之爲道也以寂爲宗以空爲旨不著色相不立文字禪之有語錄非禪本義也雖然盡如我佛如來拈花微笑盡如達磨尊者面壁九年則此上乘正宗何從闡發而世之甫髡其頂而受戒具而叅心性者將何自而見西天面目乎是以古之聖僧不惜爲後人提撕警覺雖巉頑如石尚欲使之點頭而況在有知有覺之人哉第世運日卑法輪難振如古之百丈南泉高風絕響一二祖疎淺陋之輩狐竊虎皮以升法王之座口出非道之言自命爲一宗語錄以惑大世之不知其理者嗟夫何怪禪燈日暗而正覺罔明於天下哉若濟水禪師則眞如來之弟子也戒行精嚴毫髮不苟而其說法也則可展獅子之座驚龍王之耳天女散花凡夫覺夢蓋其所得原出尋常萬萬而其所以昭宣大道以醒迷津者又豈世之冒竊者可同日語哉禪師居報先古刹起衰復古以創爲守寒烟蔓草之場忽變爲寶相莊嚴之地厥功甚懋其生平所說法語侍僧梓之以行世當世之耆宿名衲與諸心佛印者皆能心契其微子偶從興福之雨花僧舍得見其書謂從來語錄中所未有因即書景仰之意於其簡端

回生訣一卷　正訣錄一卷　御製頌贊二卷

[illegible]

濟水禪師著

濟水洸禪師語錄一卷

[illegible]

曉庵昱禪師語錄三卷

天笠禪師序黃面老子七處九會不曾說一字末上拈起一花獨金色頭陀冷地覷破別傳正法眼藏綱後四七二三東西密付馬駒踏殺天下瞎驢滅卻正宗至我南澗先師爲臨濟直下三十一世焉先師五闡名藍座下象龍雲涌惟曉庵法兄分座最久爲室中長子乙未夏繼席潤南安居後事既而一錫湖湘三十載并汾絕信於茲矣道庚申秋余再領院事忽專使賫香櫛塔兼示黃曇諸會全棄命則定作序余愧忝同門嘗闢先師告衆曰昱首座悟處不異高峰斷崖出語不帶枝葉雖乏文采流動直如煅過精金具眼者誰肯味棗隻字嗚呼先師言猶在耳珍讓步不文謬承推許何敢復贊一辭古亦有言諸方說法非不美麗要知如趙昌畫花花雖遍眞非眞花也余謂今之要見眞花者向瞿曇未拈起時裂破正法眼藏便見黃曇錄中句句字字不從人得皆眞香發現觸著奪命返魂豈是而今彩繪無根所能企及者哉康熙癸亥清和佛誕

楚萍集一卷

天笠珍禪師著

自序凡物之生平天地間也靡不應於時而繫乎命若鳥之處空魚之樂水命也葵之傾日蕉之聞雷時也向使葵蕉不待雷日而展則違其時矣魚鳥互以空水爲居則失其命矣故知萬物以天地爲逆旅天地以萬物爲芻狗皆莫能逃其時命而出其樊籠矣至若萍之生也異於是稟柳絮飄搖而不繫於空點澄波宛轉而不滯於水浮乎長江大海而不盈覆處平幽邃深淵而不歟隘順逆隨流放浪忘返庸知萍之爲命歟爲時歟抑知萍之爲萍歟非萍歟天地萍也萬物萍也余之集楚萍也亦猶是而已矣

天笠珍禪師語錄十二卷

嘉定張立廉序古之以言傳者皆其不得已而有言者也所謂不得已者以大智力照法中偏黨以大悲心破八根昏鈍然而非赴乎時機迫於叩激則又終不發也惟發之甚重故其行之也遠竊謂今時禪師

有說語錄三字存於胸次其語不必說也何況總總焉以死套格式分門別類使祖師元旨徒成具文爲末法之通病乎天笠和尚久入南澗堂奧機用超脫是能破情量爲出格道人者吳楚單丁有年嗣後懋主祖刹電掣風馳有軼羣之作無元字脚存於胸次所謂動乎自然而發乎不得已嗚呼世有知機鋒言句如國家兵器不得已用之者庶幾動窺是錄之旨乎

曉庵禪師序

昱住山久矣一關獨扃百念俱灰然猶有所不能忘懷惟先師門戶潑天未聞有能繼之者數載干戈旁午浙中音信杳然此心懸懸不遑甯處戊年夏得南澗珍法弟書並寄新刻展閱未竟曷勝欣躍神機妙用電閃雷轟將先師門戶盡底掀翻不特不讓實跨竈焉弄大旗鼓如此雖昔之湛堂眞淨東山演天童華諸尊宿豈得擅美於前所謂過量人五百年間氣所鍾者哉昱耄矣得吾弟光大先師門戶快然於心謹爲之序

門人超格序

先師笠老人九座道場說法十二會已刻未刻錄共若干冊藏於方丈內記簏中其語如石蜜中邊皆甜如旃檀片片皆香非頂門竪亞摩醯者不能拈隻字也甲戌夏五示寂同門奔赴皆於龕前以結集見推援格全錄格智照淺劣何敢當但念乙丑歲分座澗南卽面承先師委以結集壬申退金山院招格同赴東禪札云結集之事汝之責也今老人往矣又重之以諸長兄之命何敢固辭謹彙輯檢校編爲十四卷卷首有冰庵張孝廉曉庵和尚二序末附格所述行狀及毛司李墖銘乙亥佛誕日結集告竣敬述始末并其緣起云

獨超方禪師語錄一卷淨土格言一卷

宗憲皇帝御製語錄序原夫道昉鷲山法開鹿野伽林書貝義學於是數條師座拈花禪宗爲之發穎然而自周及漢大乘僅顯於新頭由魏迄梁妙諦未傳於震旦自海州遥泊嵩宗弘開揭淨體之光明示無心之元寂於是智燈續燿朗月連輝法信六傳至靈照而門庭益廣派流千別惟滹沱之瓶鉢堪珍自唐以來於今轉盛獨超方禪師者幼鍾福慧長涉文華厭世網之沉迷慨慷別父緣宿因之深厚勇決尋師殊觖難生席設何嘗著脇精遮慧可雪來都至埋腰恒苦以悟空遂離塵而證道高提祖印明湖之草木增榮遠振宗風赤縣之人天引領共迎桑宿來主

獨超方禪師語錄一卷　淨土格言一卷

柏林暮鼓朝鐘數百衆之單持翁集擎拳豎拂三千界之
道信爭來變定水於迷津回岐途爲覺路積成公案錄自
支那現教外之圓通脫人間之撰述精求弁簡顧屬制文
余忝列藩維沃叨
宸徵
眷拱
垣以北陌邇蘭若爲南鄰數以詩禮之餘閒來與菩提之
勝會恒河比貌譬語頻承吾岫開經梵音罕譜潛符冥冥
頤鼎湖以靡涯崇委般般欲邀延而不得懵箇中之賓主
贅門外之言詮玉帶鎮山何妨一笑金樓在望佇喻三禪
康熙四十二年嘉平既望
皇四子多羅貝勒書

夢庵格禪師語錄八卷寶倫集二卷

越鑑徹禪師語錄一卷

〔迦陵禪師序〕楊子有云辭達而已矣聖人以文其奧也幽深謂元理微謂妙數博謂賾辭約謂要章成謂文成此五者故不得已我宗門於幽深者淺示之理微者顯示之數博者簡示之辭約者剖示之章成者分析而明示之又豈得乎師翁四主南澗越叔不遺餘力師翁示寂後即入南山誓不復出先師追之再四方勉強繼席一言半句往來禪客寶之爲璧然皆不存稾難弟於殘紙遺灰中僅成一帙余喜之不勝因命付梓使後之未見未聞者俾知我法叔老人之不得已也康熙己亥夏五月

宗鑑法林七十二卷

迦陵禪師輯

雜毒海八卷

迦陵禪師增集明初龍山仲猷師所錄偈頌

〔怨中愠禪師序〕昔妙喜老祖居洋嶼菴凡有所唱說僧侍左右座者皆錄之而名之曰雜毒海蓋取老祖所謂參禪不得多是雜毒入心之語也是故後之學者凡遇宿師碩德偈頌佛事等語手錄成帙亦以雜毒海目之其來久矣龍山仲猷禪師一日閱其所錄厭其譌舛遂刪其繁冗摭其精要分類成卷始板行之其心蓋欲不負作者之心而亦永爲後學之懿範也或謂師之用心固善其如戾妙喜之訓何然文字語

[illegible]

迦陵禪師[illegible]集[illegible]

雜毒海八卷

迦陵禪師語錄

宗鑑法林七十二卷

[illegible]

[illegible]

[illegible]禪師語錄一卷

夢庵格禪師語錄八卷　寶綸集二卷

[illegible]

言以不著爲尚譬如鴆毒人飲之則死曹瞞飲之則無害在學者取捨何如耳然則是編之行其於法門不爲無補故爲之說時洪武十七年 梅谷禪師序

恕中和尚曰吾宗所謂偈頌者借事顯理曉人心地使事理混融純一無雜如醍醐之味薝蔔之香使人鼻舌畧經觸受莫不通乎心暢乎體洒然清爽者也

又曰宋季咸湣聞諸尊宿凡寓興贈別及呻喙字號之類皆有偈頌以四句爲準其作至精假使減去名目而其義自昭顯自非契證深湝傍通壙典取之左右逢原用之頭頭合輙而訖此以吟暢元旨者不能也余每謂門人曰此非頌偈不易之定論開人眼日之金鍼也是書流布法社其來已久至洪武初龍山闐師爲之刪繁摭要分類成集始版行於叢林而恕中和尚乃爲之序余觀闐師重編之意甚於恕師所論吻合而恕師作序之意又與闐師刪摭心同因效羣二師漏採古宿遺珠并蒐近代全璧依類增入再行叢林原集其七百三十二首今增入百七十有奇至若泛採阿私則吾豈敢或於見聞寡陋惟高明教之順治丁酉 自序

同是點畫所成之字經有心眼者拈掇之便能如畫家點睛令其人生氣溢目對之

不覺咄咄叫絕又如人各與鏡面目俾之了了德山之棒臨濟之喝似猶遜此痛快雜毒海所集往哲偈頌皆是物也此眞道人本色文字宗門中不得已而有文字必若是而後可也余嘗謂衲僧家不向本分吐露而馳騁聰明炫燿辭句與文人墨士角工巧誇多鬬靡是何異尼山所云君子而去仁也若使之從毒海游者知必爽然自失矣是集從恕中梅谷二和尚增訂之後較龍山所作尤成大觀但南中之板流通不廣北方學者恒少見焉因重爲刊出其闕補入一二亦援梅和尚之例併如梅和尚之言非敢阿好也昔世尊自述在因時求得半偈乃偏書於林葉石壁間以傳示國人余今補刻之役非與前人爭功聊代書葉書壁之勞爾

康熙甲午夏六月

迦陵音禪師語錄二十卷

蟫江丁懋學序 世惟良醫其用藥能變通方術不膠於古不泥於今雖若造意而起疾如神然拘守陳法者未免駭其好奇豈知藥以治病病治則已正可也奇亦可也宗師家垂手接人能如良醫之變通或立

一機或示一境，或語言提唱，欲使魔者斷，異者正，病者起，死者活，不難也。譬諸聲傳空谷，靡有不應節落。神聰從無處發，故馬師門下同時出八十餘人，後之圓悟亦使十八人一夜徹去，至今豔稱之。然邇來唱導之師，拈椎豎拂無虛日，求如馬師、圓悟當日之盛事，竟未聞焉。且魔益熾而疾益錮，何古今之大不相及也。人皆罪參徒之淡薄，吾謂今人根器豈盡劣於古，古人根器豈盡勝於今，恐亦師家說法不能變通，遂致學者半病不起，而區區欲參徒獨受其過，是何異醫者不善用藥，而謂舉世皆受不治之症，真堪令人絕倒矣。迦陵和尚傳磬室五世法印，出世京師千佛，衲林繞座，半千餘指，門庭甚嚴，鉗錐甚毒，彼依止之徒豈少。若參力學眼明識卓者，荷其師非真有爲人手腳接人機用，焉能忍苦相從？依者弗欲去，來者弗能拒也。今觀其左右輩所集陞堂示衆等語，出正入奇，盡變極化，無非對症發藥，又皆臨時應變，能起今時學者之膏盲，悉翻諸方說法之窠臼，宜乎方求者之水赴而風馳歟。昔臨濟之言曰：大凡演唱宗乘，一語須具三元門，一元門須具三要。今觀是錄，非深入元要之奧，不能神其變通若是也。滹沱老子去今

七百餘年，元要之在人，僅不絕如綫，乃得大師一肩力荷而恢張之，誠法門之幸。識者諒不以予言爲諛，請即書之簡端。

釋超蕉序齋今宗社濫觴門戶戈不澤清峻上莫盛石磬而下珍叔笠老人十據名刹四未淵南如山如嶽魏然不動時有生死南禰世法醒醒之謠天理人心誠不可沒再傳而得迦陵音公名悟門修持具見拈香一段親切淵深上堂小參一一皆從自己胸襟中流出，斷非印板上打來模子裏脫出，一洗傈竊摹擬、拾唾尋擅之弊。如僧問：如何是道？云：山僧怕關。既是大善知識，因甚怕聞？云：夕死可矣。以此非但爲天下知解宗徒、尋章逐句輩解黏去轉，直今道學頭巾脫骨換胎矣。鳴呼！世衰法纖，滔風盡喪，往往匙挑不上者亦愛承奉讀揚，稍有拂意，掉頭不顧。顧予不肯陳朽何似，而公業已德重京都，名欽四海，可以無求於今日，乃以語錄不遠三千里外乞言於余，且有痛下鉗鎚之語，只此一節，邈然追古人千載之上，眞有大覺璉祖之風。予以祖宗故，士受託之深，不得不任再住之責，迄今近三十年，日與大梅、龍山爲伍，夜隣肉身老祖同夢，耳不聞諸方之行，目不靚諸方之刻。今讀千佛之書，眞如聞迦陵頻伽

之聲哀愍一切衆生續五宗旦夕之慧命此吾珍叔夢元若心法門之報也是爲序康熙五十二年歲次癸巳自恣日再住東山愚俯超蕉拜題於肉身殿側任吳興弁山釋仁岠序宗門有三印印空印水印泥是也此中分三句一句天無四壁一句半合半開一句合泥和水若以三句作一句會則突出難辯只眨得眼閃電提持衲僧無湊泊處若一句作三句會便覺有君有臣有元有要葛藤蔓延刺刺不休茲所調印泥者也然而法無定相道在人弘大量者用之則同小器者局之則又不得不異耳迦陵和尚與余同事先老人於雲門相得最善其後天各一方萍蹤萬里企慕之私僅付一暮雲春樹而已今秋赴　和碩雍親王之召館於栢林因得與師挑燈話舊促膝談心得來潤中一滴滾拍濘沱放出黃河九曲聲光動地再觀千佛法林諸錄如登匡爐而望彭蠡長天一色空水無埧而隨機應變卓有氣蒸雲夢波撼岳陽之象他年起我臨濟宗磬山老祖於一百年前早已爲師道破了也奚待余言

迦陵禪師語要一卷指要一卷

調梅鼎禪師語錄二十卷

和碩莊親王序維摩經曰乃至有無文字語言是眞入不二法門循是以思敬以象外之說暢以無生之論者皆兆乎而吾知其不然也調梅著有語錄若干卷闡禪宗之遂旨抒性地之靈機六葉既敷千花競秀居然嗣響於傳燈已其生平梗概子會銘其塔而敘及之往復斯編不禁三致意焉夫佛法廣大瓦礫邊能盡汰荆棘未易俱芟使非調御以一心遊於八正路徒逕元渺之言撤藩遊奧不虞涉於饒舌耶若夫逗根機而演教逐權實以敷文內以證其淵修外以迪夫學侶升堂關答豎拂機鋒東道西道即曹溪之風動心動也眞諦世諦即鏡智之髮白心白也而甯以無有文字語言爲足多哉王粥謂凡有皆以無爲本無以有爲功將欲悟無必資於有抑闡之蓮轉文句以佛心中化他之法度入他心是則一默一言一呼一笑皆歸實際豈得斅空空而疑其鏡象未離詮耶不覺歡喜讚歎因以弁其端云　孟維遂序自梁武時達磨已入東土不立文字面壁九年實爲禪宗之初祖而末聞有語錄五傳至慧能大師乃著壇

調梅禪師語錄三十卷

[illegible]

通隱禪師語要一卷 指要一卷

[illegible]

經語錄之說是始此乎自曹溪分傳青原南岳而後五宗並起各相授受片香致念用表法源然臨濟二十九傳至笑巖寶寶傳龍池池傳磬山山傳南嗣間問傳柏林格格傳師乃臨濟三十四世也今土磬山祖席高懸祖印提唱宗風斬釘削鐵直指人心見性成佛正謂石磬一响聲振天下於臨濟何多讓焉當此佛法濫觴之際若非調公一出廻狂瀾於汎濫之中燃死灰於燼盡烟消之後茫茫宇宙不知佛法為何物矣調公誠哉不愧為臨濟之兒孫夏仲以語錄問序於余然余儒也禪師釋也儒釋不同道何分焉況文公守潮時見海外無一人可語因與大顛盤桓遂成知已若我閑堂冷署岑寂無聯乃得方外談心不有遠過於大顯者因援筆敘其大概以遺意也　文覺禪師序已西秋予叨隨　駕圓明園佛樓調公和尚特函書附其語錄若干卷來乞序言得盡披閱機用痛快語句清穩絕非凡響可同日語者因憶囊時見先磬山老人諸錄質而厚簡而嚴最近古滋愛之是錄也尤著歟有祖風深得演唱之道焉公與迎陵禪師為同門昆季皆早破　皇上眷注極法門之異數首拔公主陽羨之磬山次武林之南彌遂唱導南中歷一十五載今雍正六年戊申春復承　旨由南澗起視柏林之篆寺為磬山家祖庭京師稱首刹然奉　勅開堂於寺者實自公始知遇之隆因緣之勝豔稱一時然而出世領衆垂廿載來住持鉅細門庭接納清操忍力守約安素大抵皆得其謹嚴之家法故聲望久而益著衲子趨赴如歸自說法柏林衆恒滿三千餘指提示不倦遂咸望為京師第一法席焉昔臨濟謂山僧無一法與人惟是去病解縛風穴亦謂滯凡情墮聖解學者大病先聖為施方便以楔出楔故宗家之有言循醫者之用藥藥以治病言以去病病有差別言亦有差別所謂對症發藥古之道也苟無病雖無言可近來言者之病有甚於學者之病以從上方便盡成格則則言滋多病滋甚負先聖愢後學老成不作興型蕩然猶幸石磬遺音尚有續其淸響者繫岦淺哉故於斯錄為之歎而樂道其善云　春臺後錄序余擬愚特甚嘗在香品聞一言半語未敢承當至今長住化城夢想極樂國土羞見諸山長老一旦調梅大士不以為卑之無甚高論乃出自敘以示余余口誦心維妄為擬議其始於修已繼之行道終於普度而拖一於知止者乎猗歟休哉佛

法眞種舍此僧其誰與歸余嘗披閱楞伽矣其超忽處則神其飄洒處則仙其無奇特處則佛千古大傳千古至支其何以加焉今捧讀自敘本末逢萬杉拈竹篦子應機而解稍無窒礙不覺令人恍然如登藐姑射之山後復往江浙叅金粟走洞庭包山等處叅訪不已畢竟將百二十斤擔子一時放下不覺令人爽然如遊無何有之鄉乃至兩朝供養諸王大臣門庭擁塞不覺令人悠然如覰著衣持鉢數座於舍衛城噫神耶仙耶佛耶余固莫得而名言之返而問之自敘者而亦不得而自知也至於最後歎芻狗謝刋錄歸宗於止夫止之爲言豈易易哉不離事物不即事物此心湛然如如不動所謂知止也易曰憧憧往來朋從爾思蓋爲不知者而發惜其見滅於東而生於西中無所止也中有主則止止則內外兩忘故自叅訪之日起至應酬無窮始終只此一字耳昔白香山詩云欲識吾師行道處天香桂子落紛紛正可爲今日調梅大士道盡了也後兹者又何能贊一辯但余既承命不得已而聊爲續貂竭我平生力量揉碎這段幽芳化作天女薄散梅花亦只得爲今世門頭拈一瓣香薰破大家鼻孔

外集八卷

佛日義禪師著　板存瑪瑙寺

同德序日星炳耀雲漢昭回天之文也山林秀蔚川澤清漪地之文也凡耳遇之而成聲目遇之而成色皆天地間自然之文也鳶飛魚躍道察上下無之而非文故見道者目擊道存一有所觸發之爲言其或有韻之文無韻之文一皆天地自然之文也陸放翁詩有云文章本天成妙手偶得之粹然無疵瑕豈復須人爲是知天地自然之文借妙悟者發之如折旃檀片片皆香禪門之叅悟何獨不然面壁功成拈花微笑不必語言文字而無非語言文字也其見諸語言文字者初非執筆學爲如此之文也妙悟所至信筆而成其詩文皆作語錄觀可也佛日禪師歷遊都下卓錫西湖聲名文字之場山川風月之地聞聞見見色色空空詩文皆見道奧捧誦之餘如親謁禪壇面聆棒喝也風塵俗吏何能契探宗旨聊據所見而敘諸簡端云爾　自序文字者文其言宣道而化物者也余固無道之可宣抑又何言之可文哉然亦間

雲居與理安祖山二處語也語雖荒拙無似然不敢捫摩攘竊於先賢自盡其分而已如秋蛩之語臺砌不冀續於春鶯塞雁之唳遠天不借聲於海鶴寒蟬之噪疎樹不雜響於焦梧所謂自鳴其鳴自聲其聲自語其語亦求其知我於不得已也

武林理安寺志卷之七終

雲居與理安祖山一處語也語雖流拙無似然不敢
門摩寧縮於況賢自之其分而已知秋蛩之語臺嫗
不冀續於存鸞集於雁之其遍天不信聲於海鶴寒蟬
之鳴陳謝不雜響於無情所謂自鳴其鳴自鳴其聲
自語其語亦求其
如我於不得已也

武林理安寺志卷之七終